Clár

Caibidil 1

An chóisir ab fhearr riamh

Ní chreidfidh tú an méid seo, ach ní raibh aird ag duine ar bith ormsa **tráth den saol***. Uair amháin, ar mo lá breithe, dúirt mo Mham 'beidh cóisir againn, a Rónáin. Tabhair cuireadh do dhuine ar bith is mian leat'. Ní raibh duine ar bith ag iarraidh teacht. Oiread agus duine amháin. Chuir mé ceist ar Thraolach Ó Ríordáin ón gclub Warhammer ar scoil. Ní raibh aird ag mórán daoine air siúd ach an oiread. 'An mbeidh bia ann?' a d'fhiafraigh sé.

* **tráth den saol:** uair eile roimhe seo

1

'Beidh **neart*** bia ann. Pringles. Cosa sicín. Cáca lá breithe.'

'Go deas'.

An dtiocfaidh tú ann mar sin?'

'Ní thiocfaidh. Tá brón orm.'

'Cén fáth?'

'Mar dá bhfaigheadh duine ar bith amach go ndeachaigh mé ann, bheinn **i mo cheap magaidh****.'

Sin é an fáth chomh maith nach suífidh Traolach in aice liom ag am lóin. An t-aon uair a labhraíonn sé liom ná ag an gClub Warhammer. Agus níl mórán rogha ansin aige. Níl ach beirt againn sa chlub – mé féin agus é féin. Ceapann Traolach go dtiocfaidh feabhas ar an scéal sin.

'Tá na cailíní craiceáilte i ndiaidh faisin,' a deir sé.

'Faisean agus daoine cáiliúla.'

'Dá ndéarfadh Taylor Swift nó duine éigin go raibh suim acu i Warhammer, an chéad rud eile, bheadh na mná ar fad inár ndiaidh.'

---

*   **neart**: go leor
** **i mo cheap magaidh**: gach duine ag magadh fúm

Go dtí seo, níl tada ráite ag Taylor faoi Warhammer, agus níl ach an bheirt againn ann fós sa chlub.

Tá cailín ann a théann ar an mbus céanna ar scoil liom. Éabha is ainm di. Chuimhnigh mé gur mhaith liom í a iarraidh ar mo chóisir. Chuimhnigh mé go minic air. Ach bhí a fhios agam nach mbeinn in ann é a dhéanamh, i ndáiríre. Níor labhair mé le cailín ó bhí mé i rang a sé, ach amháin nuair a bhí duine acu ag cur isteach go mór orm.

Mar sin féin, tháinig mé ar phlean le hÉabha a iarraidh ann. Dá ligfinn do mo mhála titim agus an bus ag tarraingt isteach ag stad an bhus dúinn, b'fhéidir go bhfeicfeadh sí an cárta lá breithe a bhí ag gobadh amach as mo mhála. An ceann a chuir mé ag gobadh amach as, **d'aon turas***. B'fhéidir go ndéarfadh sí 'Ó! Do lá breithe atá ann, an ea? An mbeidh cóisir agat?'

'Beidh, cinnte,' a déarfainnse. 'Beidh neart bia ann – cosa sicín, cáca lá breithe, stuif mar sin.'

Agus déarfadh sise 'Stop, stop. Tá tú ag cur **ocras an diabhail*** orm.'

'Buail isteach agus míle fáilte,' a déarfainnse. Beidh neart bia le spáráil ann.'

Agus déarfadh sise 'Go hiontach!' agus thiocfadh sí abhaile liom. Agus mhairfeadh muid go sona sásta ón lá sin amach.

Scríobh mé síos an plean ar fad agus d'fhoghlaim mé de ghlanmheabhair é ionas go mbeinn réitithe i gceart.

Agus is beag nár oibrigh sé. Tháinig an bus. Lig mé don mhála titim. Ach níor fhéach Éabha síos. Ní fhaca sí an cárta. Shiúil sí thar an mála agus isteach sa bhus léi. Chuir sé sin moill orm agus mé ag cromadh síos le mo chuid rudaí a thabhairt liom.

Nuair a sheas mé suas arís, bhí an bus ag imeacht arís agus ise ar bord. **Fágadh i mo staic mé*** ** ag stad an bhus.

Ní raibh ann ag mo chóisir lá breithe ach Mam

---

* **ocras an diabhail:** ocras uafásach
** **Fágadh i mo staic mé:** Fágadh i m'amadán mé

agus Daid agus Daideo agus Mamó. 'Nach deas é seo, anois?' arsa Mam.

'M'anam gur deas,' arsa Daideo. 'Anois, cá bhfuil an cáca lá breithe?'

'**Foighid ort***, a dhiabhail,' arsa Daid. 'Ní raibh na cosa sicín againn fós.'

'Tá a fhios agam nach raibh,' arsa Daideo. 'Ach beidh ormsa bheith ag imeacht go luath. Tá mé ag fáil bearradh gruaige.'

Fiú mo Dhaideo féin, ní raibh sé ag iarraidh fanacht ag mo chóisir lá breithe. Las Mam na coinnle.

'An cuimhin libh cóisir lá breithe Liam?' arsa Daideo ansin. '"Tá cead agat cúigear cara a iarraidh," arsa tusa leis. Agus tháinig caoga duine!'

Is é Liam mo dheartháir mór. Tá sé ag an gcoláiste. Tá **an t-uafás**** cairde aige. Tá sé an-chliste. Tá sé go maith ag an bpeil. Agus cumasach ag tarraingt pictiúr. Agus go hiontach ag seinm pianó.

---

* **Foighid ort**: bíodh foighid (foighne) agat
** **an t-uafás**: an-chuid, go leor leor

'Agus ansin nuair a bhí sé in am don cháca, bhain Liam naipcín den bhord. Leathnaigh sé amach é chun an cáca a chur i bhfolach taobh thiar de. Ansin go tobann, tharraing sé go leataobh an naipcín – agus bhí an cáca imithe!'

Tá Liam go maith ag na cleasanna draíochta freisin.

'A leithéid de scil atá aige!' arsa Daideo. **'Is diabhlaí an mac é Liam*'**.

Agus tá sé go hiontach ag an Mata. Agus thar barr ag deisiú rudaí. Agus cumasach ag caint le daoine. Níl a fhios agam conas a dhéanann sé é. Conas a fhaigheann sé marcanna iontacha, conas a scórálann sé cúil áille, conas a bhíonn oiread cairde aige. Tá na rudaí sin ar fad ar nós cleasanna draíochta domsa.

'Fuair mé bronntanas duit' arsa Daideo, agus é ag síneadh beart beag chugam. 'Seo leat, oscail é. Beidh an bearbóir ag fanacht liom.'

D'oscail mé é. Bhí mé tar éis oiread leideanna a thabhairt gur figiúir nua Warhammer a bhí

---

*   **Is diabhlaí an mac é Liam:** is iontach an buachaill é Liam uaim. Nach orm a bhí an t-ionadh nuair a chonaic mé nárbh é sin a bhí ann, ach buidéal **lóis iarbhearrtha*** agus péire **scorán muinchille**** saor in aisce a bhí greamaithe leis. Bhí na focail 'Ádh Mór' scríofa ar an dá scorán. 'Tá súil agam go dtaitneoidh sé leat,' arsa Daideo. 'Anois, **caithfidh mé bheith ag greadadh******'.

'Nach deas iad na scoráin mhuinchille,' arsa Daid. 'An-úsáideach do leaid óg.'

Galánta an t-ainm a bhí ar an lóis iarbhearrtha.

'Cheannaigh mise an lóis sin dó,' arsa Mam, 'nuair a bhí mé i mo chailín óg.'

'Agus tá sé fós ar fáil?' arsa Daid. 'An-stuif mar sin é, is cosúil.'

'Ní hé an branda céanna atá i gceist agam,' arsa Mam, 'ach an buidéal céanna sin. Cheannaigh mé an buidéal sin dó. Féach ar a chúl.'

Ar chúl an bhuidéil, bhí pictiúr d'fhear agus mullach mór gruaige air. Scríofa faoin bpictiúr, bhí

---

*   **lóis iarbhearrtha:** stuif a chuimlíonn fir dá n-aghaidh i ndiaidh dóibh iad féin a bhearradh

**   **scorán muinchille:** rudaí miotail chun muinchillí léine a cheangal ag na rostaí nuair nach bhfuil cnaipí ar na muinchillí ach dhá pholl cnaipe.

*** **Caithfidh mé bheith ag greadadh:** caithfidh mé bheith ag imeacht go tapa.

an méid seo a leanas: 'Is fearr an lóis seo a úsáid roimh dheireadh Lúnasa, 1982'.

'Tabhair dom é,' arsa Mam. 'Caithfidh mé sa bhruscar é.'

'Á, ná déan,' arsa mise. 'B'fhéidir **gur geall le fíon é*** nó rud éigin mar sin. B'fhéidir go dtagann feabhas air, má bhíonn sé fágtha tamall fada gan oscailt.'

'Ní ghabhfainn sa seans leis, dá mba mise tusa' arsa Daid. 'Ar aon nós, seo duit **féirín**** uainne.' Thug siad dom na figiúir Warhammer díreach glan a bhí ag teastáil uaim.

---

*   **gur geall le fíon é**: go bhfuil sé cosúil le fíon
** **féirín**: bronntanas

Caibidil 2

Conas lóis iarbhearrtha a úsáid

Nuair a dhúisigh mé an mhaidin dár gcionn, bhí an ghrian **ag scalladh*** ar na laochra Warhammer a bhí curtha ina seasamh ar leic na fuinneoige agam. Taobh leo, bhí an buidéal lóis iarbhearrtha. Bhí solas na gréine ag lonrú ar an ngloine bhuí. Bhí paiste buí solais caite ag an nga gréine agus é ag preabadh den bhuidéal. Phioc mé suas an buidéal agus thosaigh mé á bhogadh is á chreathadh. Bhog an paiste buí solais ar fud an tseomra. Lig mé orm gur saghas tóirse draíochtúil é.

* **ag scalladh:** ag lonrú, ag soilsiú

Zap! Rinne mé púdar de na scoráin mhuinchille leis. Ansin, **thriail mé*** an buidéal a oscailt. Ní bhogfadh an **claibín****. Thóg mé píosa den *duvet* i mo lámh agus rug mé greim leis ar an gclaibín. Chas mé agus chas mé. Go tobann, tháinig an claibín uaidh. A luaithe is a bhí sé oscailte, thosaigh madra Bhean Tóibín trasna an bhóthair ag tafann. Sa ghairdín, bhí gleo ann cosúil le cúig chéad éan ag éirí den talamh in aon iarraidh amháin. Lig cat *MÍ ABHA* mór uaidh. Chnag Mam ar an doras agus í ag béiceadh: 'cad tá ar siúl istigh ansin?'

An é go raibh sí in ann boladh na lóise iarrbhearrtha a fháil tríd an mballa? B'fhéidir gurbh fhearr gan bacadh leis an stuif. Sháigh mé an claibín ar ais anuas air agus leag mé an buidéal isteach faoi mo leaba. Ach bhí deoirín den lóis tar éis doirteadh ar mo mhéara. Chuimil mé an braoinín sin de mo leiceann. Dhóigh an lóis mé, amhail is go raibh **smugairle róin***** tar éis póg a thabhairt dom.

---

*   **thriail mé:** bhain mé triail as
** **claibín:** corc, barr an bhuidéil a choinníonn dúnta é
*** **smugairle róin:** ainmhí a d'fhéadfadh cealg a chur ionat agus tú ag snámh san fharraige.

Nuair a leaindeáil mé ar scoil, bhí Síofra Álainn ina seasamh taobh leis an doras lena cairde. Sin an áit a mbíonn sí gach maidin. Bíonn orm siúl thar bráid agus mé ag éisteacht léi ag magadh fúm, nó faoi mo chuid éadaí, nó faoin mála buí scoile a cheannaigh Mam dom, ionas go bhfeicfeadh daoine mé dá mbeadh sé dorcha. Chonaic mé **ag straoisíl*** í amhail is go raibh sí ar tí rud éigin an-ghránna a rá. Chrom mé **mo chloigeann**** agus thriail mé gan aon aird a thabhairt uirthi. Ansin, go tobann, d'athraigh a héadan. Thosaigh sí ag smúraíl na gaoithe, mar a dhéanfadh madra neirbhíseach. Ansin, LABHAIR SÍ LIOM.

'Haigh, a Rónáin. Deas tú a fheiceáil. Bhfuil tú ag dul isteach sa rang?'

Bhí sé beagnach fiche tar éis a naoi. Cén áit eile a mbeinn ag dul? Ag damhsa? 'Tá,' a deirim.

'Bhfuil cead agam teacht leat? Seo linn, a chailíní, tiocfaimid ar fad.'

Agus lean siad ar fad mé tríd an doras, iad ag

* **ag straoisíl:** ag gáire
** **mo chloigeann:** mo cheann

11

sciotaraíl agus ag tabhairt soncanna dá chéile.

'Céard atá ar siúl agat ina dhiaidh seo, a Rónáin?' arsa Síofra.

'Staidéar Ríomhaireachta.'

'Tá Rónán ag déanamh Staidéar Ríomhaireachta! Déanaimis ar fad é.'

'Tá Staidéar Ríomhaireachta ar an gclár ama,' arsa mise. 'Beidh tú á dhéanamh ar aon nós. Ní hé go bhfuil rogha agat.'

'Ó, is breá liom an bealach a ndeir sé rudaí! Nach álainn é? Tá sé chomh greannmhar sin!'

Lean siad isteach sa scoil mé.

Cleas a bhí ann. Bhí a fhios agam gurbh ea. Seans go raibh siad chun mé a tharraingt isteach i leithreas na gcailíní agus mé a chlúdach le smideadh. Nó rud éigin den saghas sin. Cleas a bhí ann, cinnte.

Ach bhí sé go deas mar chleas.

Formhór laethanta agus mé ag siúl thart ar **phasáistí na scoile***, déanaim iarracht fanacht

* **pasáistí na scoile:** na hallaí fada caola a siúlann daoine tríothu le dul ó áit go háit taobh istigh den scoil.

12

chomh gar do na ballaí agus is féidir. Bím ag samhlú nach bhfuil duine ar bith in ann mé a fheiceáil.

Ach inniu, bhí gach duine ag féachaint orm. Seo liom, i lár an phasáiste, agus grúpa cailíní i mo thimpeall. Bhí sé beagán scanrúil, ach bhí mé ag baint taitnimh as.

Bean de Róiste atá againn don Staidéar Gnó. Ó thosaigh mé sa chéad bhliain, níor labhair sí liom ach aon uair amháin. '**Bí i do thost***, a Rónáin,' a dúirt sí an uair sin. Anois agus mé ag siúl thairsti, **bhreathnaigh sí orm****, thosaigh sí ag smúraíl an aeir mar a rinne Síofra, agus labhair sí liom. 'A Rónáin! Nach tú atá ag breathnú go deas inniu! An ndearna tú rud éigin nua le do chuid gruaige?'

Ní leagaimise lámh riamh ar mo chuid gruaige. Seachas é a ní tar éis bheith ag snámh Dé Céadaoin agus tar éis karate Dé Domhnaigh. 'Ní dhearna, a mháistreás,' a deirim.

Ach níor chuala duine ar bith mé. Bhí siad ar fad a rá cé chomh deas is a bhí mo chuid gruaige.

---

*   **Bí i do thost:** Bí ciúin, stop ag caint
**   **bhreathnaigh sí orm:** d'fhéach sí orm

Bhí ionadh ar Thraolach Ó Ríordáin.

D'éirigh an scéal níos aistí fós sa rang Staidéar Ríomhaireachta. Níor thosaigh an Máistir Ó Cualáin ag smúraíl an aeir. Níor dhúirt sé rud ar bith faoi mo chuid gruaige. Ach roinn sé an rang ar fad ina ghrúpaí le triúr i ngach grúpa. Tá 28 duine i mo rang. **Formhór laethanta***, má roinntear sinn inár ngrúpaí de thriúr, déantar naoi ngrúpa de thriúr - móide mise, a bhíonn fágtha liom féin. Ach inniu, ní raibh deireadh ráite ag an máistir nuair a bhrúigh Síofra a suíochán isteach in aice le mo cheannsa. Bhrúigh Éabha a suíochán siúd isteach ar an taobh eile. Bhrúigh Órla isteach sa bhealach ar Éabha. 'Oibrímse le Síofra i gcónaí,' arsa Órla.

'Is fíor,' arsa Síofra. 'Bíonn Órla i gcónaí liomsa.'

'Táimse ag iarraidh oibriú le Rónán,' arsa Éabha.

'Bhuel níl Rónán ag iarraidh oibriú leatsa. Nó níl, a Rónáin? Abair léi bailiú léi'.

---

* **Formhór laethanta:** an chuid is mó de na laethanta

Chas mé i dtreo Éabha. Ní raibh mise chun a rá léi siúd bailiú léi. An rud a déarfainn dá n-osclóinn mo bhéal ar chor ar bith ná 'Ná bailigh leat, le do thoil'. Ach nuair a d'oscail mé mo bhéal, níor tháinig focal ar bith as. **Thug Éabha drochshúil dom*** D'éirigh sí agus anonn chuig an Máistir Ó Cualáin léi. D'oscail mé mo bhéal arís. Thriail mé 'fan, tar ar ais...' a rá, ach níor tháinig na focail sin amach ach oiread.

---

* **Thug Éabha drochshúil dom:** d'fhéach Éabha orm go han-chrosta

Caibidil 3

Conas na cailíní a mhealladh

'Conas suíomh idirlín **a dhearadh***' an ceacht a bhí i gceist. Bhí ar gach grúpa **suíomh lucht leanúna**** a dhearadh do cheoltóir nó do bhanna ceoil a thaitin leo. Bhí orainn socrú céard a bheadh ar an leathanach tosaigh agus conas an chuid eile a leagan amach. Leag Síofra a lámh ar ghualainn Órla. 'Déanfaimidne suíomh do Rónán. RónánMoGhrá an t-ainm a bheidh air. Beidh sé lán de phictiúir de Rónán agus blúirí eolais faoi.

*   **a dhearadh:** a leagan amach, a phleanáil
** suíomh lucht leanúna: suíomh do dhaoine a cheapann go bhfuil ceoltóir nó grúpa áirithe go hiontach

16

Cén dath is deise leat, a Rónáin?'

'Níl aon dath is deise agam.'

'Cuir síos é sin! Is maith le Rónán gach dath. Mar féachann sé go maith, is cuma cén dath a chaitheann sé. A mhála, cuir i gcás – ceann álainn é a bhfuil dath an chustaird air.'

'Sin é!'

'Tá do mhála buí chomh faiseanta sin!'

'Tá mo mhála buí faiseanta? Conas nár dhúirt tú é sin riamh cheana?'

'Níor fhéach mé i gceart air roimhe seo. An bhfuil cead agam do phictiúr a thógáil?'

Thosaigh an bheirt acu ag tógáil mo phictiúir lena gcuid fón póca. Bhí an t-am istigh faoin tráth seo. 'Anois,' arsa an Máistir Ó Cualáin 'bhur smaointe. Tusa, a Laoise.'

Bhí Laoise, a **leathchúpla*** Síle, agus cailín eile sa ghrúpa sin.

---

* **Leathchúpla:** deartháir nó deirfiúr le duine a bheirtear ar an lá céanna leo féin

'Bhíomarna chun suíomh a dhéanamh faoi Rónán,' a deir Laoise.

'Muidne chomh maith,' a deir Síofra.

'Agus muide,' a deir Aisling Nic Cába.

Bhí gach cailín sa rang ag obair ar shuíomh faoi Rónán Ó Tuathail (sin mise). Gach duine ach amháin Éabha. Aisteach go leor, bhí sise ag obair ar shuíomh Warhammer.

'Suíomh Warhammer?' a deirimse. 'Tá sé sin an-suimiúil!'

'Níl sé chomh suimiúil leatsa, a Rónáin,' arsa Síofra Álainn.

'Bhíomar chun '20 Rud Nach Raibh ar Eolas agat faoi Rónán' a dhéanamh,' arsa Lúsaí Ní Bheaglaoich. 'An dath is deise leis, cuir i gcás...'

'Níl aon dath is deise le Rónán,' arsa Síofra **go postúil***.

'Bhuel an leabhar is deise leis mar sin.'

---

* **go postúil:** go han-sásta léi féin

'*The Lord of the Rings,*' arsa Lúsaí. 'Nach é, a Rónáin?'

'Bhuel...is dócha...'

Bhí **mearbhall*** ar Thraolach Ó Ríordáin.

Bhí Ciarán Crosta Ó Briain ar tí pléasctha.

'Céard atá ar siúl?' a bhéic sé. 'CÉARD. ATÁ. AR. SIÚL? Abair liom **go beo**** nó éireoidh mé crosta.'

Ní raibh duine ar bith ag iarraidh go mbeadh Ciarán Crosta ag éirí crosta, mar sin labhair an Máistir Ó Cualáin. 'Abair linn, a Rónáin, maith an fear – céard atá ar siúl? Cleas de chineál éigin é seo, ab ea?'

'Níl a fhios agam, a mháistir.'

'Níl a fhios agat?'

'Níl a fhios, a mháistir.'

'Bhuel b'fhéidir gur cheart duit fáil amach. Síos chuig oifig an phríomhoide leat. Anois.'

---

* **mearbhall:** ní raibh sé in ann an méid a bhí ag tarlú a thuiscint
** **go beo:** go tapa

Is í Bean de Brún an príomhoide. Caitheann sí formhór an ama ag iarraidh airgead a bhailiú don Ionad Nua Spóirt. Má bhíonn tú riamh i dtrioblóid, is féidir rudaí a chur ina gceart i gcónaí ach beagán airgid a thabhairt do Chiste an Ionaid Nua Spóirt. Níor fhéach sí orm nuair a shiúil mé isteach. 'An bhfuil tú i dtrioblóid?' a deir sí.

'Níl mé cinnte, a mháistreás,' a deirimse.

'Bhfuil **pingin ar bith*** agat?'

'Airgead don bhus, sin an méid.'

'Mmmm. Tá tú i dtrioblóid cheart mar...' Stop sí. Rinne sí smúraíl. Tháinig **aoibh gháire**** uirthi. Aoibh mhór shona gháire.

Bhí **a héadan***** lán d'áthas agus de shonas.

'Ó!' a deir sí. 'Cé atá ann ach...'

'Rónán, a mháistreás,' a deirimse. 'Rónán Ó Tuathail.'

---

*   **pingin ar bith:** airgead ar bith
** **aoibh gháire:** cuma áthasach ar a béal agus ar a haghaidh
*** **a héadan:** a haghaidh

'Rónán Ó Tuathail! Nach deas tú a fheiceáil. Ar mhaith leat cupán tae? Agus briosca seacláide? Nó caifé, b'fhéidir? Tá seacláid the againn chomh maith in áit éigin.'

'Chuir an Máistir Ó Cualáin síos mé, a mháistreás.'

'Ar chuir, anois? Caithfidh mé buíochas a ghlacadh leis.' Bhí sí tosaithe ar an tseacláid the a dhéanamh.

'Níl an t-am agam don tseacláid the, a mháistreás,' a deirimse. Tá rang dúbalta Mata anois agam.'

'Ó, ná himigh!'

'Caithfidh mé imeacht, a mháistreás. Tá an-tábhacht leis an Mata.'

Faoin uair a tháinig am lóin, bhí a fhios agam nár chleas a bhí ann. Faoin tráth sin, bhí a fhios agam go raibh grá ag gach éinne dom. Anonn liom chuig an mbord a suím de ghnáth ann – an ceann a bhíonn ag luascadh mar go bhfuil cos amháin gearr faoi.

Bhí slua ann romham. Bhí Síofra ann agus a cairde, Laoise agus Síle. Bhí siad ag brú agus ag sá a chéile ionas go mbeadh spás dóibh ar fad. An chéad rud eile, bhí cailíní ón tríú bliain ag iarraidh suí liom chomh maith. Agus cailíní ón idirbhliain. Ar deireadh, chuir duine éigin fios ar Bhean de Brún. D'oibrigh sí amach róta ionas go bhféadfadh na cailíní ar fad suí in aice liom **ina seal***.

'Mise an chéad duine,' a deir sí féin.

An t-aon chailín nach raibh ag iarraidh suí taobh liom ná Éabha. Bhí sise ag an taobh eile den halla, ag ithe a lóin agus ag léamh leabhair aisti féin.

Ba shin an chéad uair a rith sé liom go mbíodh sí aisti féin go minic ag am lóin, ag ithe ina haonar.

*   **ina seal**: ina nduine is ina nduine, le seans a thabhairt do gach cailín

Anall le Ciarán Crosta chugam. 'Ba mhaith liom focailín beag leatsa,' a deir sé.

'An bhfuil **coinne*** agat?' arsa Bean de Brún.

'Coinne?'

Caithfidh tú coinne a bheith agat le suí ina aice le Rónán. Tá na suíocháin seo **curtha in áirithe****. Féadfaidh mé d'ainm a chur ar liosta feithimh más maith leat.'

Chlúdaigh Ciarán Crosta a éadan lena lámh agus tharraing sé anáil. 'CÉARD. ATÁ. AR SIÚL?' a bhéic sé. 'Ní thuigim an tseafóid seo. Cén fáth ar maith le gach duine é siúd go tobann?'

'Níl a fhios agam,' a deir Bean de Brún. 'Sílim go bhfuil sé tagtha faoi bhláth. Sin é. A Rónáin, an bhfuil tú tar éis teacht faoi bhláth, **meas tú*****?'

---

*   **coinne**: cruinniú nó am atá socraithe roimh ré
**   **curtha in áirithe**: níl siad ar fáil, tá siad líonta
*** **meas tú**: an gceapann tú

'Is dócha,' arsa mise. Bhuel ní raibh mé chun
a rá leo gur buidéal lóise iarbhearrtha ba chúis
leis an scéal ar fad. Buidéal a bhí os cionn tríocha
bliain as dáta.

Caibidil 4

Conas Goblin a aithint

An mhaidin dár gcionn, bhí mé i mo luí i mo leaba
ag cuimhneamh ar an lá iontach a bhí agam inné.

Agus bheadh an lá inniu níos fearr fós. Agus
an lá amárach. Agus gach lá beo as sin amach.
Ní raibh le déanamh agam ach deoirín de lóis
Dhaideo a chuimilt le mo leiceann. D'oscail mé an
buidéal. Thosaigh madra Bhean Tóibín ag tafann.
Chuala mé scata éan ag éirí sa spéir. Chnag mo
mháthair ar an mballa.

Chuimil mé braoinín den lóis taobh thiar de
mo chluasa. Ansin, chlúdaigh mé an buidéal le

t-léine agus chuir mé i mo mhála scoile é. Ní raibh mé chun é a fhágáil sa teach – d'fhéadfadh Mam teacht agus é a chaitheamh amach sa bhruscar. Dhá nóiméad ina dhiaidh sin, bhuail clog an dorais. Lúsaí a bhí ann. Agus Laoise. Agus a deirfiúr Síle. Agus Aisling Nic Cába. Agus cuid mhaith cailíní eile. 'Haigh a Rónáin!' a ghlaoigh siad ar fad le chéile.

'Bhfuil tú ag teacht ar scoil?'

'Lá scoile atá ann. Cén áit eile a rachainn – ag campáil?'

'Tá sé chomh greannmhar sin!' arsa Aisling. 'Is breá liom a chuid cainte.'

'Is breá agus linne!' a deir grúpa mór cailíní eile. 'A Rónáin – féach céard atá againne inniu.'

Chas siad ar fad timpeall. Bhí gach duine acu ag caitheamh málaí droma ar dhath an chustaird. 'Tá stíl Rónáin anois againn,' arsa Laoise.

Shiúil Daid isteach sa halla agus a chuid
pitseámaí* fós air. Thosaigh na cailíní ag
croitheadh a lámh agus ag scairteadh. 'Sin Daid
Rónáin – féach! Heileo Daid Rónáin!'

'Ermm' arsa Daid. 'Heileo sibh.' Chroith sé
a lámh leo. Bhí cuma beagán neirbhíseach air.
'Céard atá ar siúl?' a deir sé liom de chogar géar.
'Cén fáth ar maith le gach duine tú nuair nach
raibh aird ar bith acu ort roimhe seo?'

'A leithéid de cheist sheafóideach,' a deir Mam.
'Is maith leo é mar go bhfuil sé go hálainn.'

'B'fhéidir gurb ea,' arsa Daid. 'Ach ar éigean go
bhfaca siad é roimhe seo.'

'Mmm. Bhí mé féin **ag déanamh iontais****
faoi sin' arsa Mam. 'Cén fáth nach bhfaca duine ar
bith cheana go raibh sé go hálainn? Ach feiceann
anois. Feiceann, mar go bhfuil sé go hálainn. Agus
sin a bhfuil faoi!'

*   **pitseámaí:** éadaí oíche
** **ag déanamh iontais:** ag cur ceiste orm féin

Ní raibh an chuma ar Dhaid gur chreid sé í.
Bhain mé searradh as mo ghuaillí* agus ar
aghaidh chun na scoile liom. Thug Laoise isteach
faoina scáth báistí mé. D'iompair Síle mo mhála
dom. D'inis Aisling jócanna beaga dom – cinn a
bhí sábháilte aici go speisialta domsa. Bhí sé go
hálainn. 'Cén fáth nach bhféadfadh gach siúlóid ar
scoil bheith cosúil leis an gceann seo?' a deirimse.

'Mar níl gach duine cosúil leatsa a Rónáin,' arsa
Laoise.

Is mór an trua nár éirigh linn siúl an bealach
ar fad chun na scoile. Ach stop máthair Shíofra
Álainn agus d'oscail sí doras an Audi - ceann mór
bándearg a bhí aici. Bheadh sé **mímhúinte**** gan
síob*** a ghlacadh uaithi. 'Suigh isteach anseo
chun deiridh liomsa' arsa Síofra.

'Ní hea, ach chun tosaigh liomsa,' arsa a
máthair.

---

*   **Bhain mé searradh as mo ghuaillí:** D'ardaigh agus d'ísligh mé mo ghuaillí go
      tapa (chun tabhairt le fios nár thuig mé)
**   **mímhúinte:** drochbhéasach
*** **síob:** suíochán, marcaíocht

Sa deireadh, shocraigh mé go suífinn chun deiridh chomh fada leis na soilse tráchta agus chun tosaigh an chuid eile den bhealach ar scoil. A fhad is a bhí siad ag argóint, bhreathnaigh mé amach an fhuinneog agus chonaic mé Traolach Ó Ríordáin ina sheasamh ar an gcosán, ag fanacht le dul trasna an bhóthair. Bhí mé ar tí beannú dó ach thiomáin máthair Shíofra Álainn trí locháinín uisce. Bádh Traolach go craiceann. Shleamhnaigh mé síos sa suíochán ionas nach bhfeicfeadh sé mé. Ansin chuimhnigh mé orm féin. 'Fan nóiméad,' a dúirt mé liom féin. 'Tá mise cáiliúil anois. Ní gá dúinn fanacht ar Taylor Swift le rud éigin a rá. Beidh mise in ann **daoine a mhealladh i dtreo Warhammer*** asam féin'.

'Céard atá tú ag cuimhneamh air, a Rónáin?' arsa Síofra.

'Tá mé ag cuimhneamh ar dul chuig an gClub Warhammer inniu,' arsa mise.

Nuair a tháinig mé chomh fada leis an gclub Warhammer amach ag am lóin, bhí Traolach ag

---

* **daoine a mhealladh i dtreo Warhammer:** suim daoine a spreagadh ann

léim as a chraiceann le háthas. 'Tá sé tar éis tarlú!'
a deir sé. 'Ní thuigim **cén chaoi***. Ach tá sé tar
éis tarlú. Tá Warhammer sa bhfaisean. Seo leat go
bhfeicfidh tú.'

Bhí an seomra Staidéar Ríomhaireacha pacáilte
le cailíní.

A luaithe is a shiúil mé isteach, thosaigh siad ar
fad ag screadaíl.

'Tá mé tar éis bás a fháil,' arsa Traolach, 'agus
imeacht ar neamh.'

'Cé atá ag iarraidh Warhammer a imirt?' arsa
mise.

'Muide!' a scread siad. 'Gach duine againn!'

'Agus mise chomh maith,' arsa glór ón doras.
Bean de Brún a bhí ann. 'Agus mise,' arsa glór eile
taobh thiar di siúd. Máthair Shíofra Álainn a bhí
ann. 'Tá súil agam gur cuma leat má chaithim an
lá ar scoil,' a deir sí le Bean de Brún. 'Níl ann ach
– ach go bhfuil Rónán anseo.'

D'imir mé féin agus Traolach cluiche amháin le
taispeáint dóibh conas a oibríonn sé. Gach uair a

---

* **cén chaoi:** conas

chaith mé an **dísle***, lig siad béic astu. 'Coinnigh
ort, a Rónáin!' Níor thaitin sé sin rómhór le
Traolach ach shíl mise go raibh sé go hiontach.
Ansin chuir Aisling ceist faoi na *goblins*.
Rinne mé mo dhícheall míniú di an difríocht
idir *goblin* agus *orc*. Ansin, d'inis mé dóibh
tuilleadh faoin domhan Warhammer, faoi nádúr
an domhain agus an tíreolas a bhain leis. Chuir
na cailíní an-suim ann. Shuigh siad thart i gciorcal
agus iad ag stánadh orm is mé ag labhairt. Rinne
mé dearmad glan ar am lóin go dtí gur tháinig an
Máistir Ó Cualáin isteach. 'Céard atá ar siúl anseo?
Cheap mé gurbh é seo an Club Warhammer.'

'Táimidne ar fad sa Chlub Warhammer,' arsa na
cailíní.

'Agus beidh go deo,' arsa Lúsaí agus í ag ligint
osna go sásta.

'Bhuel pé rud atá ar siúl agaibh,' arsa an Máistir
Ó Cualáin, 'níl ach deich nóiméad eile d'am lóin
fanta.'

---

* **dísle:** ciúb beag a bhfuil uimhir ar gach éadan aige. Úsáidtear é i gcuid mhaith
cluichí boird.

Nuair a tháinig muid chomh fada leis an **gceaintín***, bhí na boird leagtha amach le bord mór amháin a dhéanamh síos trí lár an tseomra, ionas go mbeadh gach duine in ann suí liomsa. Bhí mo sheanbhord fós thall sa chúinne in aice leis na boscaí bruscair. Bhí Éabha ina suí ansiúd. Í féin agus Traolach Ó Ríordáin. Caithfidh go raibh sé tar éis an Club Warhammer a fhágáil go luath. Ní fhaca mé ag imeacht é, fiú. Ní hé go raibh mé míshásta. Bhí sé go hálainn bheith i mo shuí ag an mbord mór fada sin le gach duine ag síneadh bia chugam agus ag insint scéalta grinn. Ach anois is arís, bhreathnaigh mé anonn ar mo sheanbhord. Cheap mé go raibh an t-ádh ar Thraolach bheith ina shuí ansin le hÉabha, agus gan ann ach an bheirt acu.

---

*   **ceaintín:** seomra bia i scoil nó ospidéal nó áit ina mbíonn daoine ag obair

Caibidil 5

Conas olc a chur ar na buachaillí*

Bhí sé in am Corpoideachais.

Nuair a shiúil mé isteach sa seomra gléasta, bhí Ciarán Crosta Ó Briain ag fanacht liom, é féin agus Traolach agus buachaill eile nach bhfaca mé riamh cheana. Leaid mór millteach a bhí ann. Is ansin a chuimhnigh mé nach raibh cead ag cailíní bheith i seomra gléasta na mbuachaillí. Ní raibh duine ar bith ann chun mé **a chosaint****.

'Haigh,' a deirim.

---

* **olc a chur ar na buachaillí:** iad a dhéanamh crosta nó míshásta
** **a chosaint:** aire a thabhairt dom

'Seo cara liom,' arsa Ciarán Crosta. 'Fraincín Ó Snodaigh. Ní théann sé ar an scoil seo. ACH tá sé ag dul amach le Síofra Álainn. Tá sé ag iarraidh a fháil amach cén fáth a bhfuil pictiúir díot ar a fón póca aici. Agus crochta ar an mballa ina seomra codlata.

'Ina seomra codlata? Dáiríre?'

'Grrrr,' arsa Fraincín Ó Snodaigh.

'Táimid ag imirt rugbaí inniu,' arsa Ciarán Crosta. 'Agus tá Fraincín Ó Snodaigh sásta imirt linn. Cé nach dtéann sé ar an scoil seo. Beidh sé ag imirt ar m'fhoireannsa. I do choinnese.'

'Grrrr,' arsa Fraincín Ó Snodaigh arís. Níor ghá dó rud ar bith eile a rá. Bhí sé ar fad ráite aige. 'Grrrr.'

'Abair linn cad tá ag dul ar aghaidh,' arsa Traolach. 'Abair linn conas a dhéanann tú é, ionas go mbeimidne in ann é a dhéanamh chomh maith.'

Bhí sé ag féachaint ar mo mhála nuair a dúirt sé é sin. Choinnigh mé greim **daingean*** air. Is dócha gurbh é sin an rud a scaoil an rún orm.

Sílim go mbeadh an fhírinne inste agam do Thraolach an uair sin ach amháin gur **réab**** an Máistir Ó Cualáin isteach an doras. 'Raidht,' a deir sé. 'Gléasaigí. Seo linn don chluiche rugbaí.'

'Ní bheidh mise ag imirt, a mháistir,' arsa mise.

'**Tuige***** nach mbeidh tú ag imirt?'

Ní raibh mé tar éis smaoineamh ar leithscéal ceart. Ach bhí **cara sa chúirt****** agam. 'Cuir ceist ar Bhean de Brún,' a deirim. 'Míneoidh sise duit é.'

'Is í Bean de Brún a chuimhnigh ar an gcluiche rugbaí seo, a Rónáin.'

'Plean Bhean de Brún?'

---

*   **daingean:** docht
**   **réab:** tháinig sé isteach go tapa
***   **Tuige:** cad chuige, cén fáth
**** **cara sa chúirt:** cara cumhachtach a bheadh in ann cabhrú

'Cheap sise go mbeadh go leor daoine ag iarraidh teacht ag féachaint ortsa ag rith thart, agus tú gléasta in éide rugbaí. Dhíol sí **ualach*** ticéad.'

'Ticéid?'

'Ar mhaithe le Ciste an Ionaid Spóirt. Tá an scoil ar fad amuigh ansin agus iad ag béiceadh d'ainm. D'íoc siad dhá euro an duine. Mar sin, beidh tú ag imirt, **a mhac bán****.'

'Ach níl mé in ann rugbaí a imirt.'

'Tá sé in am bheith ag foghlaim.'

Chuir mé orm mo chuid éadaí spóirt agus chuir mé m'éide scoile i mo mhála. Bhrúigh mé an buidéal síos isteach ann chomh fada agus a bhí mé in ann. Bhí Traolach ag faire orm. Rinne sé sin neirbhíseach mé agus mé ag iarraidh an buidéal a chur i bhfolach.

'Ceart go leor,' arsa an Máistir Ó Cualáin. 'An bhfuil gach duine **faoi réir*****? Ní gá duitse imirt, a Thraolaigh, tá tú róbheag. A Chiaráin Chrosta.'

'Lig domsa imirt, más é do thoil é a mháistir.'

---

*   **ualach:** neart, go leor
**   **a mhac bán:** a bhuachaill, a chara
*** **faoi réir:** ullamh, eagraithe, réitithe

'Ní féidir liom, tá faitíos orm. Bheadh sé contúirteach duine chomh crosta leat a scaoileadh amach ar an bpáirc.'

Ar aghaidh linn. Lig an slua béic **ollmhór*** astu nuair a shiúil mé amach.

Rud an-deas a bheadh ansin de ghnáth, ach bhí buairt orm agus mé ag fágáil mo mhála i mo dhiaidh sa seomra gléasta.

Thart ar dhá nóiméad i ndiaidh don chluiche tosú, chuala mé fuaim láidir – bhí na héin ag éirí san aer ó gach crann sa chontae agus **ag tabhairt aghaidh**** ar na seomraí gléasta. Bhí madraí ag tafann. Bhí cait **ag meamhlach*****. Chas cloigeann gach cailín i dtreo na scoile. Bhí a fhios agam go raibh Traolach tar éis an buidéal a oscailt. Dhá nóiméad ina dhiaidh sin arís, bhailigh na héin leo arís. Stop na madraí ag tafann agus thosaigh na cailíní ag féachaint ormsa in athuair.

Ní bhfuair mé amach céard a bhí tar éis tarlú go dtí leatham. Bhí Ciarán Crosta tar éis

---

* **ollmhór**: an-mhór ar fad ar fad
** **ag tabhairt aghaidh**: ag imeacht i dtreo
*** **ag meamhlach**: ag déanamh fuaim 'mí abha'

iarracht a dhéanamh an lóis iarbhearrtha a
bhaint de Thraolach. Rith Traolach isteach sna
cithfholcadáin. Rug Ciarán Crosta air. Thit an
buidéal. Bhris sé. Doirteadh an lóis iarbhearrtha ar
fad síos an draein.

Bhí deireadh le Galánta.

Caibidil 6

Conas an t-ádh a bheith ort

Chuir mé ceist ar mo Mham cár cheannaigh sí an lóis, féachaint an raibh seans ar bith go mbeadh buidéal eile fágtha ann. 'Fuair mé é sa siopa sin Barney's Bargains ar Shráid an Mhuilinn,' a dúirt sí liom. 'Leagadh ó shin é leis an Tesco mór millteach a thógáil.' Oibríonn Mam sa Tesco nua. 'Is minic a smaoiním ar an siopa sin. Bhí sé san áit a bhfuil seilf a seacht anois ann – an áit a bhfuil na hanlainn pasta agus na cannaí trátaí.'

Chuardaigh mé ar an idirlíon. Is iomaí sin rud
a tháinig aníos nuair a chuir mé isteach an focal
'Galánta', ach ní raibh lóis iarbhearrtha ina measc.
Bhí deireadh le Galánta.

Nó b'fhéidir nach raibh. Nuair a chuimhnigh
mé orm féin, bhí sé craiceáilte bheith ag
smaoineamh go bhféadfadh spleais lóis
iarbhearrtha mo shaol a athrú. B'fhéidir go raibh
mé tar éis teacht faoi bhláth. B'fhéidir nach raibh
baint ar bith aige leis an mbuidéal buí.

Nuair a tháinig Laoise agus Síle ar an mbus
an lá dár gcionn, shuigh mé aniar agus **rinne
mé aoibh gháire*** leo. Bhrúigh mé isteach leis
an bhfuinneog, le spás a thabhairt dóibh suí in
aice liom. D'fhéach Laoise orm féin agus ar an
suíochán folamh. 'Sin Rónán,' arsa Síle.

'Agus?' arsa Laoise.

'Agus tada,' a dúirt a deirfiúr. Siar ar chúl an
bhus leo beirt. 'Meas tú céard a chonaic duine ar
bith riamh ann?' arsa Laoise agus í ag siúl uaim.

---

* **rinne mé aoibh gháire:** chuir mé cuma áthasach ar m'aghaidh

Nuair a tháinig Éabha isteach ag an gcéad stop eile, an t-aon suíochán a bhí fágtha ná an ceann in aice liom féin. 'Haigh,' a dúirt mé léi agus aoibh gháire orm nuair a shuigh sí in aice liom.

'Ó tá tú sásta labhairt liom anois,' a deir sí. 'Anois nuair nach labhróidh cailín ar bith eile leat.'

'**Cén chaoi a bhfuil fhios*** agat nach labhróidh cailín ar bith eile liom?'

'Is cailín mé. Bíonn cailíní ag caint lena chéile.'

Thaispeáin sí dom téacs a chuir Síofra chuig gach cailín sa rang. 'Tá DEIREADH IOMLÁN le Rónán Ó Tuathail!'

'Ach ní dhéanann tusa mar a dhéanann gach cailín eile,' arsa mise. 'Tá tusa éagsúil uathu. D'fhéadfása labhairt liom.'

'D'fhéadfainn, ach níl mé ag iarraidh. Tá tú tar éis athrú.'

'Tá mé tar éis athrú,' a deirimse. 'Sular athraigh mé, ní labhrófá liom.'

---

*   **Cén chaoi a bhfuil fhios agat:** conas atá a fhios agat

41

'Sular athraigh tú, ní labhrófása liomsa.'

'Ach bhí mé ag iarraidh labhairt leat. Bhí, **i ndáiríre píre*.**'

'Sin atá tú a rá anois.'

'**Féadfaidh mé é a chruthú**.**'

Phóirseáil mé*** trí mo mhála agus tháinig mé ar phíosa páipéir leis na nótaí scríofa orthu, na nótaí de na rudaí a bhí mé chun a rá le hÉabha ar mo lá breithe.

'Do lá breithe a bhí ann, an é?' a deir sí. 'Níor dhúirt tú focal faoi.'

'Níor dhúirt. Ach bhí mé ag iarraidh é a rá.'

Bhí sí ag léamh na nótaí. Go tobann, tháinig náire an domhain orm. D'éirigh mé agus amach as an mbus liom ag an stad roimh an scoil. A fhad is a bhí mé ag fanacht le dul trasna an bhóthair, chuaigh Audi bándearg Shíofra Álainn tharam. Bádh go craiceann mé.

Ach ag am lóin, tháinig Éabha chuig an gClub

---

*   **i ndáiríre píre:** go hiomlán dáiríre

** **Féadfaidh mé é a chruthú:** tá mé in ann a thaispeáint go cinnte go bhfuil sé fíor.

*** **Phóirseáil mé:** Chuaigh mé ag cuardach

Warhammer. 'Seo tús,' a deir Traolach, 'tús de **rud éicint*** mór.'

Tús a bhí ann de thriúr bheith ag imirt Warhammer seachas beirt. Agus triúr ag ithe lóin le chéile ina dhiaidh, seachas bheith ina suí astu féin. Tús a bhí ann le **leabhair a bhabhtáil****, le CDanna a dhéanamh dá chéile, le bheith ag dul chuig scannáin le chéile tráthnóna Dé Sathairn. Cairdeas a bhí ann. Bhí sé go hiontach. Sa tseachtain sula bhfuair muid saoire na Nollag, tús a bhí ann le **féiríní***** agus cártaí a cheannach do dhaoine seachas do Mham agus do Dhaid. Fuair me *Goblin captain* do Thraolach agus ceann eile d'Éabha. Phéinteáil mé a ceann siúd lena dhéanamh beagán níos speisialta.

Cheannaigh Traolach *orcish cannon* an duine dom féin agus d'Éabha. Phéinteáil sé ceann Éabha lena dhéanamh beagán speisialta. Cheannaigh Éabha *mounted goblin* do Thraolach. Ach

---

* **rud éicint:** rud éigin, rud inteacht
** **leabhair a bhabhtáil:** leabhair a mhalartú, ceann amháin a thabhairt agus ceann eile a fháil
*** **féiríní:** bronntanais

43

cheannaigh sí rud glan difriúil domsa. 'Tá fhios agam go bhfuil sé beagán sean ag féachaint,' ar sise. 'Cheannaigh mé in Demented Discounts é ar Shráid an Droichid. Chuimhnigh mé go raibh rud cosúil leis agat cúpla mí ó shin.'

Buidéal Galánta a bhí ann. Le húsáid roimh dheireadh 1983. 'Míle buíochas,' a deirimse. 'Bhí ceann acu seo ag teastáil uaim riamh anall.'

An oíche sin, bhí Féile an Gheimhridh ar siúl sa scoil. Cóisir mhór a bhí ann: damhsa sna seomraí ranga, seastán bearbaiciú amuigh sa chlós agus cineál casino sa seomra ríomhaireachta. Ar mhaithe le hairgead a bhailiú don Ionad Spóirt a bhí an rud ar fad. Shiúil mé abhaile an tráthnóna sin agus buidéal lán Galánta i mo mhála. Thosaigh mé ag smaoineamh ar an oíche a bhí romhainn sa scoil agus cé chomh deas is a bheadh sé siúl isteach ann agus gach cailín san áit a bheith ag breathnú orm. Ní bheadh ag teastáil ach braoinín beag amháin.

Bhí gach duine chun gléasadh suas don oíche. Bhí léine nua faighte ag Mam dom. Ní raibh cnaipí ar bith ar na cufaí. 'Caitheann tú le **scoráin mhuinchille*** é,' arsa Mam, 'cosúil leis na cinn a thug Daideo duit do do lá breithe.'

'Ach a Mham, féachann siad sin amaideach. Tá 'Ádh Mór' scríofa orthu! Beidh daoine ag magadh fíím!'

Bhí mé chun féachaint níos amaidí ná riamh ag an gcóisir. Cúis eile le braon a bhaint as an mbuidéal Galánta. Bhí mé díreach **ar tí**** an buidéal a oscailt nuair a chuala mé carr taobh amuigh. Éabha agus Traolach a bhí ann, agus a mháthair ag tiomáint.

'Féach Éabha,' arsa Mam, 'agus beirt bhuachaill léi.'

'Nach deas aird a bheith ar dhuine,' arsa Daid.

'Bhíodh aird ar Rónán s'againne tráth den saol,' arsa Mam agus lig sí osna.

Nuair a chuala mé an méid sin, sháigh mé an buidéal Galánta síos i mo phóca. Bhí mé chun mé

---

* **scoráin mhuinchille:** rudaí miotail chun muinchillí léine a cheangal ag na rostaí nuair nach bhfuil cnaipí ar na muinchillí ach dhá pholl cnaipe

** **ar tí:** díreach chun é a dhéanamh

féin a chlúdach leis ar ball sa scoil.

Bhí an seomra ranga s'againne feistithe go hálainn – bhí crann mór Nollag **ag glioscarnach*** sa chúinne. Bhí maisiúcháin ildaite ar crochadh os ár gcionn agus bhí solas aoibhinn ann a d'athraigh dath leis an gceol, ó ghorm go dearg go dath an óir.

Go tobann, bhí a fhios agam céard a bhí uaim. Ní raibh mé ag iarraidh go mbeadh gach cailín san áit ag cur ceiste orm dul ag damhsa leo. Bhí mé ag iarraidh bheith le hÉabha, is gan ann ach an bheirt againn. Ach céard a dhéanfainn le Traolach?

Bhí sé sin éasca.

Nuair a chuamar amach le *hot dog* a fháil, bhain mé an claibín den bhuidéal i mo phóca. Ar feadh nóiméidín, stop an ceol. Bhí éin le cloisteáil ag éirí is ag eitilt thart taobh amuigh den scoil. Chuimil mé mo mhéar le barr an bhuidéil oscailte. Ansin chuimil mé an lóis ar chúl a mhuiníl ar Thraolach agus dhún mé an buidéal **in athuair****.

---

* **ag glioscarnach:** ag lonrú, soilse ildaite ag lasadh agus ag múchadh air

* **in athuair:** arís

Nuair a chuamar ar ais isteach sa seomra ranga, chas **gach cloigeann*** san áit le féachaint orainn.

'Ó ná habair,' arsa Éabha. 'Ná habair go bhfuil tú ar ais sa bhfaisean.'

'Ní mise atá sa bhfaisean, sílim,' a deirim féin.

Thosaigh gach cailín san áit ag scréachaíl.

'Traolach!!!' Rith siad anall chuige, agus gach duine acu ag iarraidh air damhsa leo.

Ar deireadh, bhí ar dhuine de na múinteoirí píosa páipéir a fháil agus liosta a dhéanamh, ionas go mbeadh sé in ann damhsa le gach éinne. Ní fhaca mé duine chomh sona leis riamh i mo shaol.

Seachas mé féin agus Éabha. Rinneamar damhsa le chéile – ní damhsa ró-iontach a bhí ann, ach ba chuma. Labhraíomar lena chéile. Ar ball, bhuaileamar isteach chuig an gcasino.

'Cluiche roulette!' a d'fhógair Bean de Brún. 'Níl ann ach euro an cnaipe! Airgead ar fad ar mhaithe leis an Ionad Nua Spóirt.'

Cheannaíomar trí chnaipe an duine.

---

* **gach cloigeann**: gach ceann

Chuireamar ar fad iad ar dhath dearg. Bhí an bua againn!

Chuireamar an chuid a bhuamar ar fad ar dhath dubh. Bhí an bua arís againn. Agus arís. Bhaineamar triail as dearg arís. Bhuamar arís. Gach uile uair.

'Rud éigin níos deacra anois,' arsa Éabha. 'Roghnaigh uimhir.'

Roghnaigh mise 16. Bhí an bua againn.

Bhí 500 cnaipe againn faoin tráth seo. Bhí Éabha ag léim as a craiceann le ríméad.

'Ná bí buartha, a Bhean de Brún,' a deir sí. 'Bronnfaimid leath den mhéid a bhainfimid ar an scoil.' Díreach agus mé ag tarraingt chugam ualach eile cnaipí, **rith rud éigin liom***. Na scoráin mhuinchille. Na scoráin a raibh 'Ádh Mór' scríofa orthu. Arbh iad na scoráin sin ba chúis linn bheith ag buachan gach uair? Níorbh fhéidir. Ach arís ar ais, b'fhéidir é.

'Stopfaimid anois,' arsa Éabha. 'Tógfaimid an

---

* **rith rud éigin liom:** smaoinigh mé ar rud éigin

méid atá buaite againn agus imeoimid.'

Ach bhí **dinglis*** i mo rostaí, díreach san áit a bhuail na scoráin mo chraiceann. 'Ní imeoidh,' a deirimse. 'Cuirfimid an 500 cnaipe ar fad ar uimhir 23.'

Tháinig dath geal ar éadan Bhean de Brún. Ansin chas sí an roth. Leag sí an liathróid isteach sa roth....

---

* **dinglis:** mothú i do chraiceann a chuireann fonn gáire ort

Úrscéalta eile Futa Fata

Cathy Brett
Leagan Gaeilge le Tadhg Mac Dhonnagáin

Tá Joe go hiontach ag an ealaín. Ach nuair a thugann sé faoi deara go bhfaighidh sé rudaí atá ag teastáil uaidh má tharraingíonn sé pictiúr díobh, tá áthas an domhain air. Tá go maith go dtí go dtosaíonn tubaistí ag tarlú de bharr na bpictiúr atá déanta aige...

ISBN: 978-1-906907-94-5

Úrscéalta eile Futa Fata

John Townsend
Leagan Gaeilge le Tadhg Mac Dhonnagáin

Cloiseann Barra scéal rúnda atá uafásach – tá fear ar tí
eitleán lán daoine a phléascadh ina smidiríní. An féidir
leis féin agus a chara Lára iad a shábháil?

ISBN: 978-1-906907-95-2

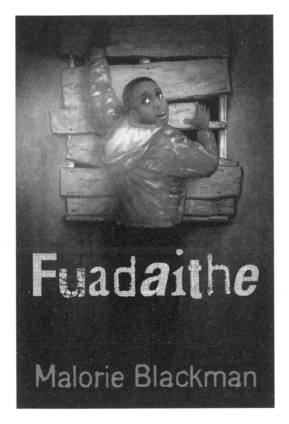

Malorie Blackman
Leagan Gaeilge le Patricia Mac Eoin

Fuadaithe. Tógtha in aghaidh a tola go teach iargúlta.
Cá bhfuil Cáit agus cad a tharlóidh di? An bhfuil dóthain
misnigh aici le héalú ó na fuadaitheoirí gránna?
ISBN: 978-1-906907-86-0

Úrscéalta eile Futa Fata

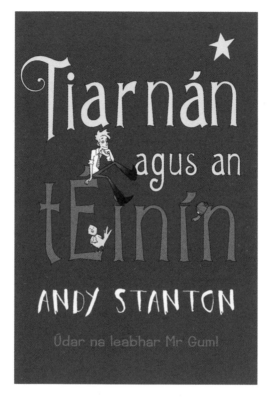

Andy Stanton
Leagan Gaeilge le Máirín Ní Mhárta

Níl Laoise Ní Chualáin sásta dul amach le Tiarnán de Staic. Tá cúnamh ag teastáil uaidh, ach cé a thabharfaidh an cúnamh sin dó?

ISBN- 978-1-906907-87-7

Úrscéalta eile Futa Fata

David Gatward
Leagan Gaeilge le Patricia Mac Eoin

Tá clástrafóibe ar Aoife ach caithfidh sí aghaidh a thabhairt ar an bhfadhb seo nuair a théann sí ar turas scoile chuig pluais. Scéal eachtrúil faoi d'aghaidh a thabhairt ar na rudaí a chuireann faitíos ort.

ISBN: 978-1-906907-60-0

Úrscéalta eile Futa Fata

Hilary McKay
Leagan Gaeilge le Patricia Mac Eoin

Is é Peadar an duine is ciúine sa rang. Tá a mhuintir ciúin chomh maith agus ní tharlaíonn eachtraí speisiúla dó riamh. Fiú a chat, tá sé leadránach! Scéal iontach greannmhar faoi dhuine ciúin atá i bhfad níos suimiúla ná mar a cheapann sé.

ISBN: 978-1-906907-63-1

Úrscéalta eile Futa Fata

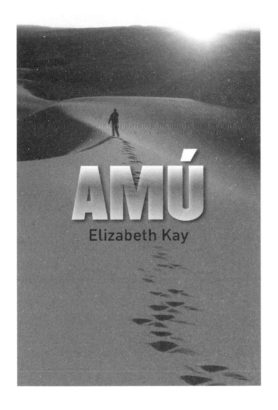

Elizabeth Kay
Leagan Gaeilge le Máirín Ní Mhárta

Ceapann máthair agus athair Oisín gur buachaill drochbhéasach, dána é. Seoltar é chuig campa ceartúcháin i nGaineamhlach Ghóibí. Sa Mhongóil. Ach nuair a éalaíonn sé ón gcampa, an mbeidh sé in ann maireachtáil san fhiántas?

ISBN: 978-1-906907-62-4

Ábhar Tacaíochta

Tá acmhainní breise tacaíochta don seomra ranga, atá bunaithe ar an tsraith úrscéalta seo, ar fáil SAOR IN AISCE. Cruthaíodh an t-ábhar tacaíochta seo i gcomhar le múinteoirí agus tá fáil air ónár suíomh idirlín, **www.futafata.ie**

Ar fáil ar an suíomh/available online www.futafata.ie

Bhreathnaigh Ciarán Ó Mianáin ar an bpíosa páipéir. Chonaic sé an pictiúr a bhí tarraingthe ag Máirtín Mangó. Cartún gránna a bhí ann.

Cartún de chuileog bheag.

Éadan Chiaráin Uí Mhianáin a bhí ar an gcuileog.

Bhí an chuileog ina suí ar chac madra.

"Mmmm, neam neam," arsa an cuileog Ciarán Ó Mianáin sa phictiúr. "Is breá liom an blas deas a bhíonn ar chac madra."

Nuair a chonaic Ciarán Ó Mianáin an cartún sin, phléasc rud éigin taobh istigh ann. Bhí sé tinn tuirseach den mhagadh. Bhí sé tinn tuirseach de Mháirtín Mangó. Bhí sé tinn tuirseach de gach rud.

"Tá mé tinn tuirseach díot, a Mháirtín Mangó!" a bhéic Ciarán Ó Mianáin. "Breathnaigh air seo! Taispeánfaidh mé duit go BHFUIL mé in ann cuileog a dhéanamh díom féin!"

34

éigin go glórach.

Fear an Fháisc-chláir a bhí ann agus feisteas ceart réiteora air. Amach le Rónán **de shodar*** sa lárchiorcal. Amach le Cillian Seoighe freisin.

Stán Cillian ar Rónán agus rinne sé **scig-gháire****. "Céard é seo?" ar sé. "Ní raibh mé ag súil le thusa a fheiceáil ar ais arís chomh luath sin. Tá tú ar bí do chuid scileanna a thaispeáint dom, nach bhfuil.

B'fhéidir gur chóir dom seans a thabhairt duit, fanfaidh mé go bhfeicim ag imirt thú."

* ag rith go réidh
** glúic atá mídhrúiseach

29

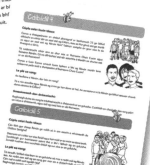